EL BARCO
DE VAPOR

Los caprichos de Rasi

Begoña Oro

Ilustraciones de Dani Montero

sm

fundación sm

La Fundación SM destina los beneficios de las empresas SM a programas culturales y educativos, con especial atención a los colectivos más desfavorecidos.

Si quieres saber más sobre los programas de la Fundación SM, entra en **www.fundacion-sm.org**

LITERATURA**SM**•COM

Primera edición: septiembre de 2020

Gerencia editorial: Gabriel Brandariz
Coordinación editorial: Carolina Pérez
Coordinación gráfica: Lara Peces y Mireia Rey

© del texto: Begoña Oro, 2020
© de las ilustraciones: Dani Montero, 2020
© Ediciones SM, 2020
    Impresores, 2
    Parque Empresarial Prado del Espino
    28660 Boadilla del Monte (Madrid)
    www.grupo-sm.com

ISBN: 978-84-1318-568-2
Depósito legal: M-11871-2020
Impreso en la UE / *Printed in EU*

Para India y Leo Jacinto,
Sabela y Lara Carr,
Theo y Bruno Baamonde,
Roque Venegas y Casilda Prenafeta.

¡Hola!
Soy Elisa.
Y os presento a...

LA PANDILLA
DE LA ARDILLA

NORA

Nora es tímida.
Le **encantan** la naturaleza,
las cosas bonitas,
los cuentos de su abuela
y los libros.

AITOR

A Aitor también le gustan
los libros, la música...
y es un aventurero.
A veces saca versos
de dentro del sombrero.
Y es que Aitor es nervioso
y medio poeta.

IRENE

Irene es tan nerviosa
como Aitor... o más.
Irene es tan «más»
que le encantan las sumas,
el fútbol y la velocidad.
Pero hasta una deportista veloz
necesita calma de vez en cuando.

ISMAEL

Ismael es experto
en mantener la calma,
comer piruletas, pintar
¡y hacer amigos!
¡Ah! A veces
(muchas veces)
se olvida de cosas.

RASI

¿Y yo? ¿Nadie va a hablar de mí?

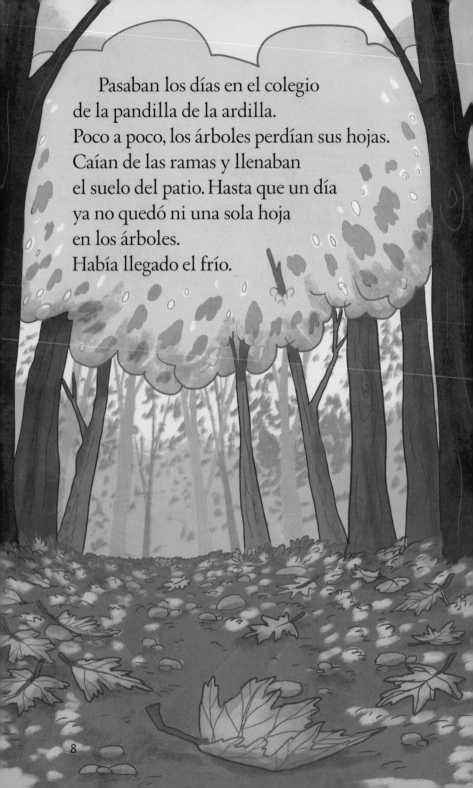

Pasaban los días en el colegio
de la pandilla de la ardilla.
Poco a poco, los árboles perdían sus hojas.
Caían de las ramas y llenaban
el suelo del patio. Hasta que un día
ya no quedó ni una sola hoja
en los árboles.
Había llegado el frío.

Y, con el frío,
llegó también la ropa de abrigo:
cazadoras, plumas, anoraks, gorros, guantes...
   –¡Mira, Rasi! –Ismael le enseñó
su nueva parka. Tenía capucha.
El interior era suave y abrigado, de borreguillo.
   Rasi se metió en ella. ¡Qué gusto!
Era como estar en un nido mullido y calentito.

Elisa se quedó mirando a Rasi, que ahora estaba en la capucha.

–Creo que debería comprarte algo de abrigo –dijo.

A lo que Rasi respondió:

–¡Hiiii hiiiii! –que, como todo el mundo sabe, significa en idioma ardilla: «¡Bieeeen! ¡Vamos de compras!».

Rasi estuvo todo el día dando la lata
a Elisa. Quería ir de compras ¡ya!
Pero Elisa tenía otras cosas que hacer.
    –No seas caprichosa. No hace falta
ir ahora mismo. Iremos mañana.
    Rasi refunfuñó.
No se le daba muy bien esperar.
Y estuvo toda la tarde de mal humor.

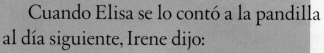

Cuando Elisa se lo contó a la pandilla al día siguiente, Irene dijo:

—Te comprendo, Rasi.
A mí tampoco se me da bien esperar.
¡Pero hoy vas de compras!

–¡Hiiii! –gritó Rasi emocionada.
No paraba de imaginar cómo sería su abrigo.
¿Le compraría Elisa uno
de borreguillo, como el de Ismael?
¿Un anorak brillante, como el de Irene?
¿Un abrigo elegante, como el de Aitor?
¿Un plumas calentito, como el de Nora?

Por la tarde, Rasi y Elisa fueron a comprar.
Rasi pensaba que irían «de tiendas». Pero no.
   –Iremos solo a una tienda
–le explicó Elisa–. Es de un amigo mío.
   –¡Hiii hiiii! –se quejó Rasi.
Ella quería ir a una tienda
que había visto en un anuncio.

–No seas caprichosa
–volvió a decirle Elisa–.
La tienda de mi amigo es estupenda,
ya verás. Se preocupa de que la ropa
sea de buena calidad. Además, tiene de todo.
Ropa de todas las tallas.
Y, si no te queda perfecta, te la arregla.
   –¡Hiii! –dijo Rasi. O sea: «¡Vamos!».
   Estaba impaciente.

Elisa y Rasi llegaron enseguida a la tienda.
Estaba muy cerca.

—Alfredo, te presento a la famosa Rasi
—dijo Elisa nada más entrar.

Pero Rasi ya no estaba a su lado.
Corría y saltaba entusiasmada
por toda la tienda. ¡Cuántas cosas bonitas!
Camisetas, gorras, jerséis, bufandas, zapatillas...

En una de sus carreras,
Rasi tiró sin querer tres perchas.
«Clinc, clonc, clinc», sonaron al caer.
Alfredo se giró hacia allí.
Rasi se puso colorada y se encogió de hombros.

–Hiii –se disculpó avergonzada.

Alfredo se rio.

–¡Rasi es tal y como me habías contado,
Elisa!

Elisa también se rio.

–Sí, Rasi es una ardilla muy curiosa,
algo traviesa, un poco caprichosa...,
¡pero en el fondo muy buena!
   Elisa le explicó a Alfredo
lo que Rasi necesitaba:
   –Me gustaría comprarle algo de abrigo.
Si es impermeable, mejor.
Para que no se moje si llueve.
Y que pueda meterse en la lavadora.

–Mmm... Creo que tengo un par de cosas
que podrían encajar –dijo Alfredo,
y llevó a Elisa hacia un lado de la tienda.
    Pero Rasi no los siguió.
Algo la había deslumbrado.
Se había quedado como hipnotizada.
No podía apartar los ojos de otros ojos...

–¡Rasi! –la llamó Elisa.

Rasi no respondió.

–¡Ven, Rasi! –insistió Elisa–.
Alfredo ha encontrado la chaqueta perfecta.

Rasi ni la oía.

–¿Rasi?

Elisa y Alfredo fueron a buscarla.

La encontraron quieta, como una estatua.
Parecía estar hipnotizada
por la mirada de... un dinosaurio.
El dinosaurio estaba dibujado en un jersey.
Además, estaba hecho con lentejuelas plateadas.
Bajo las luces de la tienda,
el dinosaurio brillaba como una estrella.
Los ojos de Rasi también brillaban.

–¡Estabas aquí! –exclamó Elisa.

Rasi se dio cuenta por fin
de que no estaba sola con el dinosaurio.
Tiró de la manga a Elisa y gritó emocionada:

–¡Hiiii! ¡Hiiii!

–que, como todo el mundo sabe,
significa en idioma ardilla: «¡Ya sé lo que quiero!
¡Quiero este jersey!».

A Elisa le costó un poco
convencer a Rasi para ir a mirar los abrigos.
No quería separarse del jersey del dinosaurio.
Alfredo sujetaba una chaqueta
en cada mano: una azul y otra amarilla.

–Mira la azul –dijo Elisa–.
Es abrigada, impermeable...
Tiene capucha, como tú querías,
y Alfredo le haría dos agujeros
para que puedas sacar las orejas y oír bien.
¿No te parece perfecta?
   Rasi volvió la cabeza
hacia el jersey del dinosaurio.
No podía dejar de pensar en él.

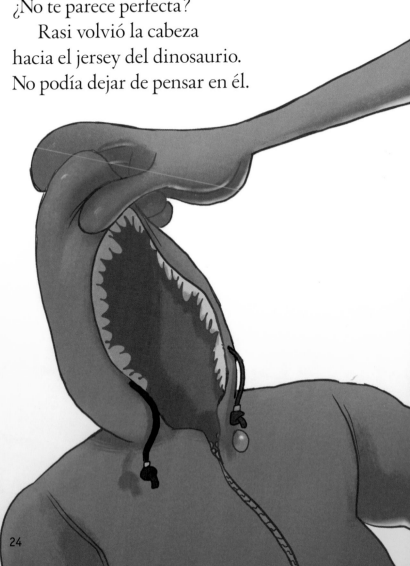

–¿Y has visto la chaqueta amarilla?
–siguió Elisa–. Te veríamos desde lejos.
Está rellena de plumas. ¡Es muy calentita!
Y también tiene capucha.

   –¿Hiii? –preguntó Rasi.
Quería saber si, además del abrigo,
podían llevarse el jersey del dinosaurio.

–No, Rasi. Solo vamos a comprar una cosa.
Además... –Elisa miró la etiqueta del precio
de los abrigos y del jersey del dinosaurio–.
¡Madre mía! ¡Pero si cuesta lo mismo
que la chaqueta!

Alfredo le explicó el porqué:

–Cosemos las lentejuelas una a una.
Lleva muchas horas de trabajo.
Además, si pasas la mano por las lentejuelas,
cambian de color.

Alfredo acarició el dibujo.
Fue como magia. El dinosaurio pasó
de ser plateado a ser verde brillante.
Rasi se quedó sin respiración.
Era el jersey más bonito
que había visto en su vida.

–Ya –dijo Elisa–.
Lo que pasa es que Rasi no necesita
un jersey de dinosaurio verde-plata.
Necesita algo de abrigo.
Hemos venido para eso.

    –¡Hiiii hiiii! –dijo Rasi,
intentando convencer a Elisa.

Rasi le dio un montón
de argumentos a Elisa:
... que si cómo se iba a quedar
el dinosaurio solo...
... que si ya se habían hecho amigos...
... que si las lentejuelas calentaban mucho...

... que si se pondría varias capas
para estar más abrigada...
... que si, para cazadora,
ya tenía la de cuero, la de estrella del rock,
que le había regalado la propia Elisa...

Tan cansada terminó Elisa
de discutir con Rasi que al final dijo:
    –Yo creo que te arrepentirás, Rasi.
Ya lo verás. Además, ese jersey
te queda grande. Y es muy delicado.
    –Y no abriga mucho –añadió Alfredo.

Pero al final acabaron llevándose...
el jersey del dinosaurio.

–¡Hiiiii! –gritó Rasi,
que significa en idioma ardilla:
«¡Soy la ardilla más feliz del mundo!».

Rasi estaba deseando que llegara
el día siguiente para enseñar a sus amigos
su nuevo jersey. Los esperaba dentro de clase,
muy tiesa y sonriente. ¡Seguro que le dirían
algo del jersey nada más verlo!

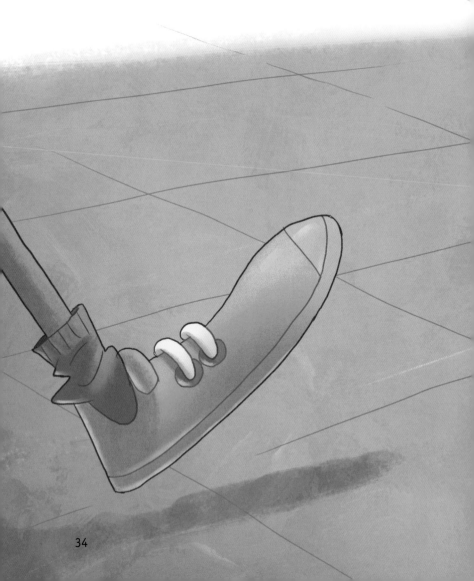

Pero Irene y Aitor entraron
y ni se dieron cuenta. ¿Cómo era posible?
Menos mal que, nada más llegar, Ismael le dijo:

—¡Hala, Rasi! ¡Qué jersey más chulo!

Nora se acercó a verlo.

—¡Me encanta! ¿Puedo tocar?

Rasi estaba deseando
que lo hiciera y descubriera
cómo el dinosaurio cambiaba de color.
    –¡Ualaaaah! –dijo entonces Irene.
    Rasi sonrió de oreja a oreja.
Su dinosaurio era el centro
de todas las miradas.

Hasta que Aitor sacó algo de su estuche.
–¡Mirad! ¡Yo también tengo un dinosaurio!
Era un lapicero nuevo.
En la punta tenía una cabeza de dinosaurio.
Un tiranosaurio. ¡Con dientes y todo!
Al apretar un botón, abría y cerraba la boca.

Aitor se puso a perseguir a Irene por toda la clase con el dinolápiz.

–Grrrr, grrrr –rugía imitando un tiranosaurio, mientras apretaba el botón.

Irene corría riendo.

Rasi bajó la cabeza.
Su mirada se encontró con la de su precioso
dinosaurio verde-plata. Qué pronto
habían dejado de hacerle caso...

Pero, cuando todos se sentaron
y Diego empezó la clase,
lo primero que hizo fue comentar:
   –¡Caramba, Rasi!
¡Qué dinosaurio más chulo!
¿Qué especie es?

Todos miraron el jersey nuevo.
Rasi sonrió satisfecha.
Pero no sabía la respuesta
a la pregunta de Diego.
¿Qué especie sería?

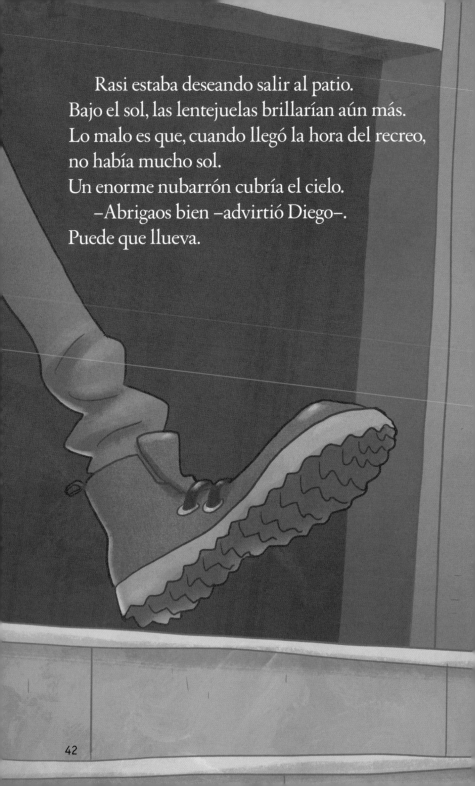

Rasi estaba deseando salir al patio.
Bajo el sol, las lentejuelas brillarían aún más.
Lo malo es que, cuando llegó la hora del recreo,
no había mucho sol.
Un enorme nubarrón cubría el cielo.
    –Abrigaos bien –advirtió Diego–.
Puede que llueva.

Rasi habría querido salir con el jersey,
sin nada más encima.
Pero tuvo que ponerse algo de abrigo.
Solo tenía la cazadora de cuero.
Eso sí, la llevó bien abierta.
Así podría lucir un poco su dinosaurio
de especie desconocida.
Un tiranosaurio no era. Ni un estegosaurio.
Eso estaba claro.

La pandilla de la ardilla
empezó a jugar al escondite.
Rasi subió a una rama del árbol
a esconderse. Pero sucedió que,
al trepar por el tronco,
se le enganchó una de las lentejuelas
con una ramita y...

... ¡detrás de una lentejuela
cayó otra,
y otra y otra
y otra y otra
y otra más!
Ahora su dinosaurio
tenía un hueco en medio del cuerpo.

El dinosaurio ya no parecía tan brillante.
Y la idea de Rasi de llevar ese jersey, tampoco.
    Rasi bajó del árbol.
    –¡Te he visto, Rasi! –exclamó Aitor.
    A Rasi eso le dio igual.
Tenía un disgusto enorme.
Se le había estropeado el jersey.
El día que lo había estrenado.

Elisa estaba cruzando el patio cuando la vio.
–¡Rasi! ¡Hace mucho frío
y va a empezar a llover! Y...
¿Qué es lo que veo? –dijo fijándose
en el jersey estropeado que asomaba
bajo la cazadora–. ¡Ni un día ha durado!
¡Ni un día! Luego hablaremos...

Elisa se fue corriendo
a cerrar las ventanas abiertas
y Rasi se quedó en medio del patio.
De pronto, empezó a llover a cántaros.
En unos segundos, Rasi estaba empapada.
Todo estaba yendo fatal.

Rasi se quedó bajo la lluvia
mirando cómo Irene e Ismael
seguían jugando felices.
Los dos llevaban la capucha puesta.
La lluvia no los calaba.
No como a Rasi la tristeza.
Poco a poco, le fue llegando hasta dentro.
Y las lentejuelas ni siquiera brillaban.

Rasi estuvo tres días enferma,
sin poder ir a clase. No paraba de estornudar.
Se había resfriado. Elisa estuvo a su lado
y cuidó de ella.

—Hiii hiii —susurró.

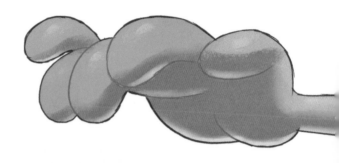

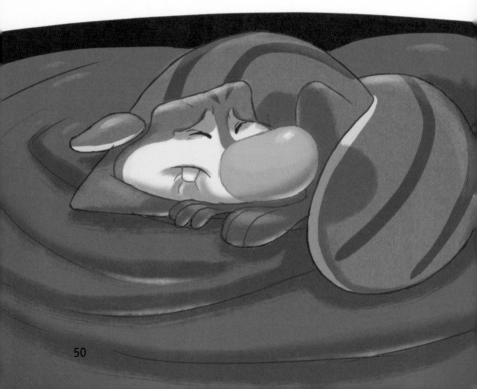

Rasi estaba arrepentida
de haberse empeñado en comprar
un jersey de una especie desconocida
de dinosaurio, por muy brillante que fuera.
Habría sido mejor tener una chaqueta
impermeable.

–¿Sabes, Rasi? –dijo Elisa–.
Yo no estoy arrepentida.
Este jersey ha servido
para algo muy importante.
Creo que te ha hecho aprender
una valiosa lección.
Después de esto, serás una ardilla muy curiosa,
un poco traviesa, muy buena...
¡y algo menos caprichosa!
    Rasi dijo que sí con la cabeza.

–Y, además, el dinosaurio de tu jersey
no es una especie desconocida.
Rasi abrió mucho los ojos.
Estaba deseando saber
qué tipo de dinosaurio era.
–¡Es un caprichosaurio!
Rasi frunció el ceño al principio.
Pero enseguida se echó a reír,
hasta que la risa se le juntó con un estornudo.
–¡Achís!

La pandilla de la ardilla
aprovechó el recreo para ver a Rasi.

–Te hemos traído unas bellotas
–dijo Nora.

–Y unas avellanas –añadió Irene.

Ismael le había hecho un dibujo.

–¿Quieres que te cuente un cuento?
–se ofreció Aitor.

Rasi se sintió mucho mejor.
Sus amigos la querían, estaba claro.
Era el centro de atención.
Y no necesitaba un dinosaurio de lentejuelas
para serlo.

¿Y tú?

Seguramente hay una prenda (una camiseta, unos pantalones, unos calcetines...) que te hace sentir especialmente bien. Como a la pandilla de la ardilla.

Este es mi vestido favorito.

Dice mi padre que esta camiseta ya me queda pequeña. ¡Pero es que me encanta!

Esta pulsera me la regaló mi abuela, y siempre que la veo pienso en ella.

¡Con estas zapatillas corro superrápido!

¡Hiiii hiii hiii!*

* Traducción del idioma ardilla: «¡Ni camisetas ni jerséis! A mí lo que me hace sentir bien es que me abracen».

¿Cuál es tu prenda favorita?

Dibújala aquí. También puedes dibujarte a ti con ella puesta.

¿Te acuerdas de quién te la regaló?

....

TE CUENTO QUE DANI MONTERO...

... no fue un niño muy caprichoso. Desde pequeño, sus padres le dieron la confianza necesaria para que fuera responsable con sus cosas y consecuente con sus actos: si no cuidaba lo que tenía y se rompía, no había reemplazo. Dani reconoce que esta forma de educarlo fue positiva, pues le dieron la oportunidad de aprender de sus propios errores, como a Rasi en este libro.

Por supuesto, reconoce haber tenido caprichos: con cuatro o cinco años, iba a jugar a casa de un amigo cuya habitación estaba repleta de juguetes de Star Wars, y él deseaba que sus padres le compraran aunque fuera uno. Aprendió a ser paciente y, con el tiempo, consiguió dos personajes: un ewok y a Chewbacca. No era el despliegue de su amigo, pero con esos dos juguetes y su imaginación le bastaba.

Dani Montero nació en Catoira (Pontevedra). Sus inicios profesionales fueron en el campo de la animación, tanto en largometrajes como en series. Ha sido galardonado con diversos premios en animación, caricatura y cómic.

Si quieres saber más sobre él, visita su web y su blog:

www.danimonteroart.com
www.danimonteroart.com/es/blog

TE CUENTO QUE BEGOÑA ORO...

... uno de los primeros poemas que escribió fue para pedir a sus padres que le compraran un conjunto de ropa. Fue justo antes de cambiarse de colegio. Quería dar una buena primera impresión. ¡No conocía a nadie!

Begoña aún recuerda que le costó un montón dar con una palabra que rimara con Benetton. Puede que hasta hiciera un poco de trampa y le cambiara el acento.

¿Crees que el poema surtió efecto? ¿Le compraron sus padres la ropa que quería? La respuesta es no. Los padres de Begoña quisieron demostrarle que no necesitaba ropa de ninguna marca en particular para hacer amigos, y prefirieron darle esa «lección», que también rima con «Benettón». Y Begoña siguió escribiendo.

Begoña Oro nació en Zaragoza y trabajó durante años como editora de literatura infantil y juvenil. Ha escrito y traducido más de doscientos libros: infantiles, juveniles, de texto, de lecturas... Además, imparte charlas sobre lectura, edición y escritura.

Si quieres saber más sobre Begoña Oro, visita su web: www.begonaoro.es

Si te ha gustado este libro, visita

LITERATURA**SM**•COM

Allí encontrarás:

- Un montón de libros.
- Juegos, descargables y vídeos.
- Concursos, sorteos y propuestas de eventos.

¡Y mucho más!

 Para padres y profesores

- Noticias de actualidad, redes sociales y suscripción al boletín.
- Propuestas de animación a la lectura.
- Fichas de recursos didácticos y actividades.